Le coq

qui avait perdu son cri

Texte : Marie-C. Lachance
Illustrations : Mike Pelland
Graphisme : Jean-Philippe Gaudet
Révision : Mathilde Laurier,
Ghyslain Dufresne,
Isabelle Froment

Dépôt légal 4e trimestre 2016

Bibliothèque et Archives nationales du Québec
Bibliothèque et Archives Canada
ISBN-987-2-9816217-0-2

Imprimé au QUÉBEC

Ghyslain Dufresne,
Isabelle Froment,
Jean-Philippe Gaudet,
Marie-C. Lachance et
Mike Pelland
sont fiers d'éditer ce premier livre
sous la bannière Les Éditions Alaska inc.

À Béatrice, Vladimir et Maxence.
Bien que vous soyez hauts comme trois pommes,
votre coeur est grand comme l'univers.
À papa, celui dont la créativité rayonne même du ciel.
À maman, source de mon énergie flamboyante.
À Germain, sweet et réconfortant, comme ses bleuets.
À Antoine, trésor de petit frère.
À Mike, mon best, mon partner, mon petit chum.

Marie

À Béatrice, ma fille, mon rayon de soleil.
À Suzanne et André, mes parents merveilleux.
À Martin, mon grand frère.
À Mathieu, mon frère cosmique.
À Marie, ma best, ma partner, ma petite blonde.

Mike

... À la Grèce, là où tout a commencé.

Les Éditions
ALASKA
PARCE QU'ON N'EST PAS FRILEUX !

editionsalaska.com

Ce livre est une oeuvre interactive.
Pour en jouir pleinement, veuillez suivre ces étapes :
1. Téléchargez l'application Aurasma sur votre appareil intelligent;
2. Cliquez sur «Créer un compte» et suivez les étapes énumérées;
3. Dans la barre de recherche, tapez «Editions Alaska»;
4. Sélectionnez «Editions Alaska's Public Auras» et cliquez sur «Suivre»;
5. Revenez ensuite à la page d'accueil et cliquez sur l'onglet permettant de *scanner* les illustrations;
6.  Par la suite, survolez chaque page du livre où se trouve le logo Aurasma et appréciez les animations.

Laissez-vous surprendre par cette expérience
qui vous transportera au-delà du livre !

Fidèle à ses habitudes, Clément le coq
s'est réveillé très tôt ce matin.

Avant même que
les autres animaux de la ferme
n'aient ouvert l'œil,

3

Clément avait eu le temps
de faire sa toilette,

6

de déguster un copieux déjeuner
gentiment préparé par sa maman,

de brosser ses dents...

Mais non, c'est une blague, bien sûr!

Tout le monde sait que ni les poules
ni les coqs n'ont de dents.

Ce matin est très spécial pour Clément
car il débute son tout premier boulot.

Selon toi, quel métier exercera-t-il?

Eh oui! Comme tous les coqs dignes de ce nom,
Clément occupera le poste
de réveille-matin.

« Parions qu'ils n'ont jamais vu
un coq aussi élégant ! »,
s'exclame-t-il devant le miroir.

Arrivé à la ferme, alors que le soleil
tarde encore à se pointer le bout du nez,
Clément s'installe à un endroit
tout indiqué pour un coq.

L'heure de chanter enfin venue,
Clément prend une grande inspiration,
gonfle sa poitrine
et, de toutes ses forces,
fait vibrer ses cordes vocales.

15

16

rout !

Étonné,

Clément cesse brusquement
de chanter.

Il se râcle alors la gorge,
gonfle sa poitrine d'air
et, de toutes ses forces,
fait vibrer ses cordes vocales.

Meeeuh!

18

« Mais qu'est-ce qui se passe ? »,
se demande-t-il,
ébahi.

Refusant de se laisser abattre,
Clément tente à nouveau de chanter.

Puis, il essaie encore.

Et encore.

Même si ce matin, Clément n'a pas réussi à produire
le véritable chant du coq,
les animaux de la ferme
sont tous réveillés...

24

TRÈS réveillés.

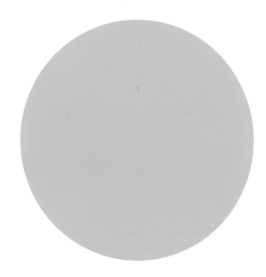

Abattu, Clément rentre chez lui.

Inquiet, son grand-papa
l'interpelle :
«Clément, pourquoi as-tu la crête basse?»

«Je ne suis pas un vrai coq... Je n'ai pas
la voix de Luciano Pavarocoq!», répond le petit.

Le lendemain matin, grand-papa Coco accompagne son petit-fils pour l'encourager.

« Chanter comme
tous les autres ne ferait
pas de toi un meilleur coq.
Chacun possède
sa propre voix ! »,

le rassure-t-il,
avant d'entonner
le chant du réveil.

Caca

… rico!

Stupéfait, Clément constate
que son grand-papa a lui aussi
une voix plutôt spéciale !

Ignorant l'air ahuri de son petit-fils,
Coco lui confie alors :
« Cocorico... Cacarico...
On s'obstinera pas pour une lettre ! »

33

Clément éclate de rire!
Sa confiance retrouvée, il chante une dernière fois
avec son grand-papa avant de devenir
le réveille-matin officiel de la ferme.

Caca... rico!

36

« Ah non! Dis-moi pas
qu'ils vont se partir un duo en plus! »,
s'exclament Didier et Huberte.